martine

et la fête

récits illustrés par marcel marlier

Martine et le cadeau d'anniversaire.
Martine à la foire.
Martine à la fête des fleurs.
Martine au cirque.
Martine fête maman.
Martine fait du théâtre.

casterman

ISBN 2-203-10720-0

(ISBN 2-203-10138-5 *Martine et le cadeau d'anniversaire*, ISBN 2-203-10106-7 *Martine à la foire*, ISBN 2-203-10123-7 *Martine à la fête des fleurs*, ISBN 2-203-10104-0 *Martine au cirque*, ISBN 2-203-10132-6 *Martine fête maman*, ISBN 2-203-10107-5 *Martine fait du théâtre*, coll. Farandole)

martine

et le cadeau d'anniversaire

GILBERT DELAHAYE - MARCEL MARLIER

Ce mercredi-là, il pleuvait.
Martine avait mis son ciré jaune
et ses bottes vertes pour sortir
avec sa maman.
Elles allaient toutes les deux
choisir une commode
dans un drôle de magasin
plein de vieilles choses.
Cela s'appelait « Le grenier »,
un nom qui faisait penser à fouillis.
Martine aimait les gâteaux,
les poupées et le fouillis.

Justement, pendant que sa maman discutait avec la vendeuse, Martine fouillait. Enfin elle fouillait des yeux, parce qu'on n'avait pas le droit de toucher.

Et elle découvrait des choses bizarres : des vieux chapeaux, des pendules dont on avait envie de bouger les aiguilles, des fleurs séchées, une marionnette rouge sur un piano... et des poupées !

Les poupées étaient vieilles, Martine le voyait du premier coup d'œil. Elles avaient des visages de porcelaine, des robes aux tissus déteints, des cheveux comme de la soie. De vrais cheveux ? Martine avait envie de les caresser. Elle tendit la main.

— Non, Martine, dit sa maman qui avait certainement des yeux derrière la tête.

Martine baissa la main, mais s'approcha davantage. La plus jolie était assise dans un fauteuil de paille. Elle avait les épaules enveloppées d'un châle.

— Maman, j'aimerais tellement avoir cette poupée pour mon anniversaire... s'il te plaît...

Sa maman était à côté d'elle maintenant. Elle disait :

— Elle est très belle, c'est vrai. Quand j'étais petite, ta grand-mère en
avait une toute pareille au grenier et un jour l'oncle Armand l'a cassée.

Martine sentait son cœur battre très fort. Sa maman comprenait. Sa maman demandait à la vendeuse :

— Combien coûte-t-elle ?

Dans sa tête et dans son cœur, Martine avait déjà baptisé la poupée « Elisabeth ». En même temps, ses bras la picotaient, comme envahis par des fourmis, tellement elle avait envie de la serrer contre elle, de la câliner.

La vendeuse souriait :

— Je suis désolée, madame, mais ces poupées sont vendues. Un collectionneur les a vues dans la vitrine. Il doit revenir les prendre ce soir.

Et elle continuait à sourire! Comment pouvait-elle alors qu'une boule affreuse serrait la gorge de Martine qui s'empêchait de pleurer.
— Ne sois pas triste, chérie, dit sa maman. Nous en trouverons une autre. Puis elles sortirent du magasin sous la pluie. La rue était grise. Martine n'essayait même pas de sauter par-dessus les flaques.

— Si on s'offrait une petite tarte aux noix ?
Martine remuait la tête : non, non...
— A la banane alors ?
Non, non continuait à faire la tête de Martine.
— Tu es malade, ma puce ?
— J'ai du chagrin.
Personne au monde n'était capable de mesurer ce chagrin. Un vrai. Un grand. Un chagrin à vous couper l'envie des gâteaux, des plateaux chocolat-confiture devant la télé ou des dessins animés. Un chagrin qui n'est pas un caprice, quoi !
Elles rentrèrent à la maison.

Dans la soirée un monsieur vint livrer
la commode achetée par maman.
Martine ne l'avait pas regardée
dans la boutique. Là, elle vit
que les tiroirs s'ouvraient
avec de gros boutons
« comme sur les images
de son livre préféré ».
Alors elle oublia
une seconde la poupée
et ouvrit le premier tiroir.

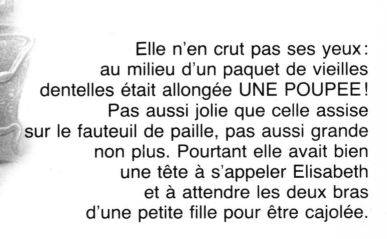

Elle n'en crut pas ses yeux :
au milieu d'un paquet de vieilles
dentelles était allongée UNE POUPEE !
Pas aussi jolie que celle assise
sur le fauteuil de paille, pas aussi grande
non plus. Pourtant elle avait bien
une tête à s'appeler Elisabeth
et à attendre les deux bras
d'une petite fille pour être cajolée.

Martine était seule, sa maman
était redescendue avec le livreur.
Vite, elle prit la poupée et courut
la cacher sous son lit.
Quand elle revint en courant, sa
maman dit :
— Tiens, ils ont oublié de vider
la commode avant de la livrer !
Elle tenait les vieilles dentelles à
la main.

— Tu vas les garder? demanda Martine.

— Naturellement non. Ce serait un vol. J'irai les rendre demain au magasin.

Bon. Martine non plus n'était pas une voleuse et cependant...

Elle pensait:

— Elisabeth est à moi. C'est MA poupée. Je ne la donnerai plus jamais.

Mais elle ne pouvait pas jouer avec elle. Tout le monde l'aurait vue. Elle ne pouvait pas non plus s'endormir en la tenant dans ses bras parce que ses parents venaient l'embrasser dans sa chambre.

Et où allait-elle la cacher le samedi, jour où sa maman passait l'aspirateur sous son lit?

Martine eut des cauchemars terribles toute la nuit,
puis encore la nuit suivante.

A chaque fois les petites filles de
son école couraient derrière elle
en criant : « Voleuse ! » et en la
montrant du doigt.
Martine se réveillait en larmes.
La boule était revenue dans sa
gorge et ne partait plus.
Vraiment ce n'était pas possible
de vivre ainsi.

— Ça ne va pas, Martine ?
questionnait la maîtresse
en classe.
— Ça ne va pas, Martine ?
s'inquiétaient ses parents à la maison.

Non, ça n'allait pas. Et Martine savait bien ce qu'elle devait faire. C'était affreux, réellement affreux, mais il n'y avait pas d'autre solution. Elle attendit que sa maman sorte donner des graines aux oiseaux dans le jardin. Puis elle remit son ciré jaune, ses bottes vertes, tira Elisabeth de sa cachette, ouvrit la porte de la rue et courut, courut, courut... jusqu'au magasin grenier-fouillis.

Il y avait un grand monsieur barbu à la place de la vendeuse de l'autre jour.

— Bonjour, monsieur. Je viens vous rendre Elisabeth... enfin la poupée que vous avez oubliée dans le tiroir de la commode de ma maman.

Elle posa Elisabeth sur une petite table, tourna les talons et repartit aussi vite qu'elle était venue. A la maison sa maman n'avait même pas eu le temps de s'apercevoir de son absence.

Maintenant Martine n'était plus une voleuse mais elle avait toujours la boule dans la gorge.

Elle s'allongea sur son lit. A côté, elle entendit un coup de téléphone. Sa maman répondit et passa sa tête par la porte :

— Je sors une minute, ne t'inquiète pas, ma chérie. Je reviens tout de suite.

« Je suis malade et je serai malade le reste de ma vie », pensait Martine.

Sa maman pouvait sortir autant qu'elle le voulait ; elle, elle ne bougerait plus jamais. Et elle finit par s'endormir.

— Martine, tu viens...
C'était déjà l'heure du dîner ? Martine passa de l'eau sur ses yeux rouges et se décida à rejoindre ses parents dans le séjour. Mais que se passait-il ? Mamie était là aussi ? Et Tante Delphine. Et Tonton Guillaume. Et...

— Joyeux anniversaire, Martine !
— Bon anniversaire, mon lapin !
Martine n'en revenait pas. Elle avait complètement oublié.
C'était même la première fois qu'elle oubliait une chose
pareille. D'ailleurs, comment fêter son anniversaire
alors que son cœur était prêt à déborder de
larmes ?

Ils avaient tous des cadeaux dans les bras et
maman souriait :
— Tu vas être contente.
Par politesse, Martine défit les emballages.
Il y avait des puzzles, des livres,
des bonbons comme d'habitude...

Et le dernier paquet, celui de maman. Elle fit sauter la ficelle :
— Oh !
Elisabeth était là au milieu des papiers de soie.
— Tu as de la chance, expliquait sa maman. Les gens ont été très aimables dans cette boutique. Je leur avais demandé de me prévenir s'ils trouvaient une autre poupée avant ce soir et tout à l'heure un monsieur a téléphoné...

Martine serrait Elisabeth contre son cœur.
Elle n'avait plus de boule dans la gorge.
Elle trouvait la vie tellement belle qu'elle avait envie de chanter.
Et dans les yeux de verre de la poupée de porcelaine il y avait aussi un sourire heureux. Parce que les poupées, bien sûr, aiment toujours les petites filles qui les aiment très fort.

martine

à la foire

GILBERT DELAHAYE - MARCEL MARLIER

Chaque année, dans la ville de Martine, la foire vient s'installer sur la place du marché.

Les camions arrivent. Ils sont chargés de toutes sortes de machines merveilleuses : des autos, des avions, des balançoires.

C'est le plus beau jour de l'année.

Aujourd'hui dimanche, Martine, Jean et Patapouf sont à la foire. Il faut voir comme ils s'amusent!

Le manège tourne. Les chevaux de bois montent et descendent. Ils ont une crinière blanche, des harnais tout neufs et des étriers.

Les cochons sont fiers de leur queue en tire-bouchon. Ils courent tant qu'ils peuvent pour attraper les canards. On croirait qu'ils ne vont jamais s'arrêter.

Avez-vous déjà été sur les balançoires ?

Sur les balançoires, Martine se sent aussi légère qu'un papillon. Elle prend son élan. Les gens la regardent monter très haut.

Patapouf ouvre de grands yeux. Il pense qu'il va s'envoler par-dessus les roulottes.

Pauvre Patapouf !

Voici le palais du rire.

Jamais on n'a vu ce que l'on va voir. Ici les enfants ne paient pas. Les soldats non plus.

Tout le monde rit :

— Ce petit chien qui se regarde dans le miroir, il est vraiment drôle !

— Il est gros comme un ballon.

— On dirait qu'il va éclater.

Ce sont les miroirs amusants.

Pour faire plaisir à Martine, Monsieur Roberto fait travailler Mimosa, Frisette et Courte-paille, ses souris blanches. C'est un spectacle unique au monde :

— Voyez, Mademoiselle, comme elles sont dociles. Approchez, n'ayez pas peur. Je les mets dans mon chapeau. Prenez garde à votre chien, s'il vous plaît, il pourrait me les croquer.

Après la séance, Martine, Jean et Patapouf vont se promener dans les allées de la foire.

— Hum, cela sent bon par ici.

— Ce sont les beignets aux pommes et les amandes grillées de Monsieur Montélimar.

— Voulez-vous du nougat ? demande Monsieur Montélimar. Il est délicieux. Je viens d'en casser une demi-livre.

— Donnez-moi des beignets et de la barbe à papa enroulée autour d'un bâton, répond Martine.

Un peu plus loin :

— Connaissez-vous le jeu de massacre, Mademoiselle Martine ?

— Non, Madame, je ne le connais pas.

— Je vais vous l'expliquer. Voilà six balles de sciure, une pour la tête de clown, l'autre pour celle de pierrot qui est prête à tomber, et le reste pour celles que vous voulez.

— Désirez-vous tirer au fusil, mon ami ?

— Je veux bien, Monsieur, répond Jean.

— Voici ma carabine, dit le cow-boy. Ici vous pouvez abattre les oiseaux de verre, la pipe en terre cuite, la balle qui danse au sommet du jet d'eau. Vous visez... une, deux... et trois, vous avez gagné. C'est très bien, bravo !

Quoi de plus amusant que de conduire une auto ?
Martine et Jean ont choisi la rouge. Martine appuie
sur la pédale. Elle tourne le volant. Les voilà partis.

— Prends garde aux accidents !

— Combien faisons-nous de kilomètres ?

— Dix kilomètres. C'est indiqué sur le compteur.
Nous avons cinq litres d'essence.

Martine et Patapouf n'ont jamais été en avion. C'est trop dangereux. Mais celui-ci est tout à fait à leur taille et il n'y a rien à craindre.

S'il avait été un petit garçon, Patapouf serait devenu aviateur. Il aurait traversé l'océan. Il aurait volé parmi les étoiles.

Qui sait où se cachent les étoiles, le jour, quand on ne les voit plus ?

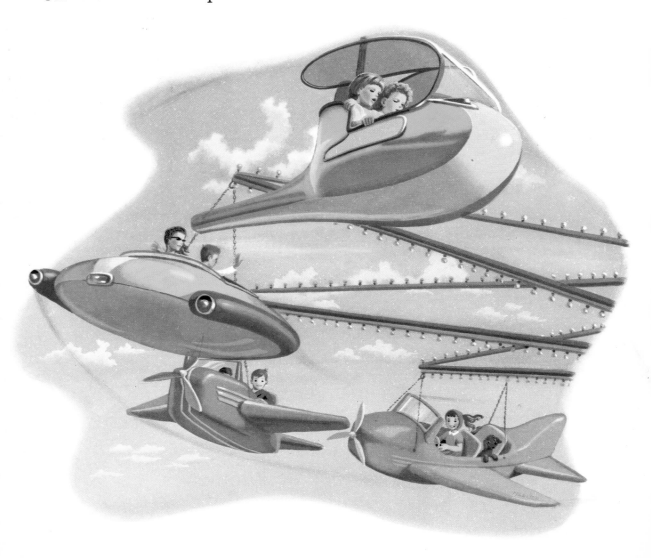

— Martine, voulez-vous m'acheter un billet de loterie? Voici le numéro huit.

Attention, la roue s'est mise à tourner.

Et savez-vous ce que Martine a gagné? Un éléphant avec de grandes oreilles. Martine a de la chance, aujourd'hui.

Pourtant voici ce qui vient de lui arriver à la ménagerie :

— Tiens, prends cette banane, a-t-elle dit en s'approchant du singe.

Et, d'un coup de patte, celui-ci a emporté le chapeau de Martine.

Voilà qu'il le met sur sa tête. Il est amusant, ce petit singe ! On dit qu'il a été dressé par un clown. Il n'est pas méchant du tout.

A la foire il y a un nouveau manège. On y voit un autobus, un tank, des vélos.

Mais le scooter est magnifique.

C'est Martine qui conduit. Jean est assis derrière elle, et Patapouf...

Mais où donc est Patapouf ? N'est-il pas monté sur un autre scooter ?

— Maintenant, allons écouter le concert près du kiosque municipal.

Martine aime beaucoup la musique. A l'école, elle apprend le piano et le chant. Jean préfère le tambour ou le clairon.

Déjà les musiciens sont installés.

Ils jouent du saxophone, du cor, de la trompette et de la grosse caisse.

— Qui veut des ballons ?

— Moi, dit Martine.

— Combien en désirez-vous ?

— Un rouge, un bleu et un vert.

— Voilà, Mademoiselle, de jolis ballons. Mais faites bien attention, ils pourraient s'envoler !

Il est temps de rentrer à la maison.

La journée a été si courte!

Avant de quitter la foire, Martine, Jean et Patapouf vont se faire photographier.

— Mesdames et Messieurs, ne bougeons plus, dit le photographe. Patapouf, tenez-vous comme un chien distingué. Vite un petit sourire...

Voilà qui est fait.

Cette photo sera un précieux souvenir.

Martine, Jean et Patapouf sont très contents. Ils se sont bien amusés à la foire. Mieux que l'année passée.

L'année passée, Jean avait été puni. Martine avait mal aux dents et Patapouf avait dû rester à la maison pour leur tenir compagnie.

Cette fois, ce fut une belle journée. Et demain ils auront beaucoup de choses à raconter à leurs amis.

martine

à la fête des fleurs

GILBERT DELAHAYE - MARCEL MARLIER

Bientôt ce sera la fête dans la ville de Martine. Justement, on vient de coller une affiche non loin de la mairie. Voici ce que l'on peut lire :

Dimanche 17 juin
À LA ROSERAIE-SOUS-BOIS
à 15 heures
GRAND CORSO FLEURI
Chacun est invité à y participer.
Prière de s'inscrire à la mairie.

– Qu'est-ce qu'un corso fleuri? demande une petite fille.

– C'est un cortège avec des chars, des voitures, des vélos garnis de fleurs, explique Martine.

– Je voudrais bien participer au corso.

– Moi aussi... Allons nous faire inscrire.

– Pourquoi pas?

– Oui mais, les chars, il faudra les préparer.

– Cela ne sera pas facile. Et pour les costumes, qu'allons-nous faire?

– Écoutez-moi, j'ai une idée.

– Dis toujours, on verra bien.

— Voilà, faisons des croquis avec nos amies.

— Des croquis? Qu'est-ce que cela veut dire?

— Cela veut dire des modèles, des dessins, si vous préférez. Pour les chars, il faudra choisir des titres.

— Moi, je propose "Le Chat botté" ou bien "Ali-Baba".

— Mon char à moi, dit Martine, je l'aimerais comme ceci, avec des fleurs ici et là. Ce sera le "Char japonais".

— Qu'est-ce que je vais bien pouvoir faire dans le corso fleuri? se demande Patapouf intrigué.

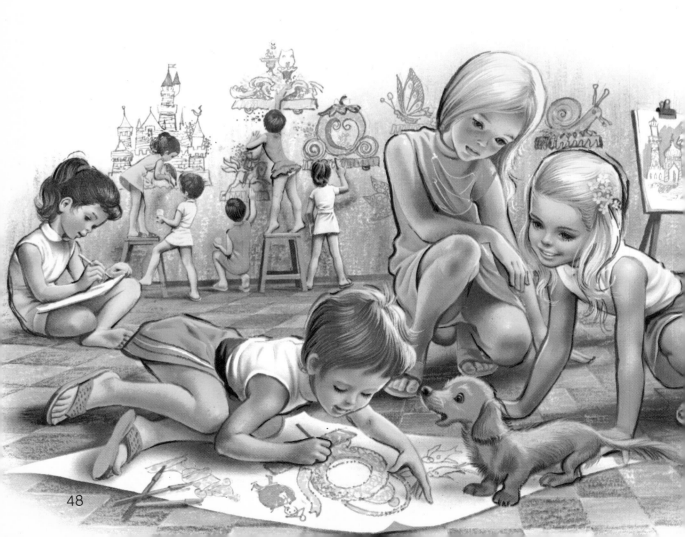

— Et qui va construire les chars? Nous n'en sortirons jamais toutes seules!

— C'est vrai ça! Il faudra qu'on nous aide.

— Montrons ces croquis à nos papas. Ils nous donneront certainement un coup de main, dit Martine.

Vous pensez bien que les papas ne demandaient pas mieux que de rendre service. Ils ont trouvé ce projet magnifique. Aussitôt ils se sont mis à l'ouvrage avec leurs voisins et leurs grands garçons.

Pendant ce temps-là, que font les filles?

Eh bien, si vous allez vous promener du côté de la rivière, vous y verrez Martine, Nicole, Françoise et leurs amies occupées à la cueillette des fleurs.

Comme elles sont belles en cette saison, les fleurs des prés avec leurs jolis chapeaux et leurs fines ombrelles!

C'est à qui sera la plus coquette :

— Voyez mon nouveau corsage, dit celle-ci.

— Que pensez-vous de ma collerette? demande celle-là.

Toutes les fleurs à la fois sentent si bon que Martine, fatiguée d'en avoir tant cueilli, finit par s'assoupir. Mais qui fait tout ce bruit à La Roseraie-sous-Bois ?

– ALLÔ… ALLÔ !

C'est l'électricien qui essaie son micro. Et ce roulement de tambours ? C'est celui que font les majorettes en train de s'exercer à défiler dans la rue.

… Vite, allons voir !

Demain c'est la fête.
Mais tout n'est pas
encore prêt. On a
sorti l'hélicoptère de
Nicole et la théière
où s'installera
Martine.

Encore faut-il les garnir de fleurs, attacher l'hélice de l'hélicoptère et fixer le couvercle de la théière japonaise.

— Chic, dit le petit veau en se léchant le museau, on va pouvoir déjeuner dans les jolies tasses à fleurs.

— En voilà un remue-ménage! fait Roussette la vache. Qu'est-ce que cela veut dire?

— Comment, vous ne savez pas? Ils préparent le char de Martine pour le cortège. Là-bas, c'est l'hélicoptère de Nicole. Ça, c'est la vieille voiture de grand-père Nicolas. Je parie qu'elle marche encore. Voilà qui serait épatant!...

Enfin le jour de la fête arrive. Toute la ville est pavoisée. Les musiciens viennent de descendre de l'autocar. Le soleil fait briller les cuivres et les boutons dorés des uniformes. Les majorettes se préparent pour le défilé.

Un clairon sonne le rassemblement.

Plus une minute à perdre...

– Dépêchons-nous, Martine, dit Jean, qui vient juste d'arriver avec son vélo fleuri et le chien Patapouf.

Mais Patapouf ne veut pas se tenir tran-
quille. C'est un petit chien têtu, têtu :
– Moi, rester dans cette carriole? En voilà
une idée! Je serai ridicule là-dedans!...
Le cortège se met en route. On entend la
musique et tous les enfants ont envie de
danser... Tiens, qu'est-ce qui s'avance là-bas,
tout au bout de la rue?...

Ce qui s'avance tout au bout de la rue? C'est "L'Escargot paresseux" tiré par la troupe des "Nains Farfadets". Il se dépêche, il se dépêche. Sûrement qu'il sera en retard pour le cortège de La Roseraie-sous-Bois.

Entendez-vous ce bruit de sonnettes?

Ce sont les "Joyeux Cyclistes de Saint-Guidon-la-Jolie" qui paradent sur leurs vélos... Le dernier, c'est Jean, le frère de Martine... Bon! Patapouf n'est plus dans la carriole!... Il se sera enfui dans la foule.

Comment le retrouver?

Tout le cortège défile : les tambours, les majorettes, les porteurs de drapeaux, les chars fleuris, les pierrots, les arlequins.

Vous parlez d'une fête! Comment ne pas s'y perdre?

— Eh, Patapouf! crie un petit garçon dans la foule amusée.

— Je suis là! Je suis là! dit Patapouf en actionnant la trompe de la vieille voiture.

Arrive l'hélicoptère. On se bouscule. On applaudit.

N'est-ce pas joli toutes ces fleurs que Nicole jette sur la foule?
C'est comme s'il pleuvait des pétales de roses et de marguerites.
Cela vole, cela s'éparpille dans les cheveux et sur les visages.
Voici des fleurs-oiseaux, des fleurs-papillons, des fleurs-confetti...
Il en tombe de tous les côtés à la fois.

C'est l'oncle Sébastien qui a construit l'hélicoptère et c'est Nicole
qui est montée dedans.

Mais c'est Frédéric, le cousin de Martine, qui a eu l'idée de tirer
sur la foule avec ce canon à fleurs.

Qui attrapera le plus de marguerites?

A mesure que le cortège avance, les spectateurs se
pressent de plus en plus nombreux sur son parcours. Il en
vient de partout. Il y en a jusque sur les murs. On dirait
que toute la ville s'est donné rendez-vous.

— Bonjour, bonjour, fait Patapouf en remuant la queue.

— Ce petit chien dans la voiture, d'où vient-il?

— C'est Patapouf, le chien de Martine, pardi! Tu sais,
Martine, la petite fille que tout le monde est venu voir
passer dans le cortège.

... Regarde, voilà justement son char.

– Oui, c'est elle, je la reconnais! Elle est ravissante!

Martine fait tourner son ombrelle avec grâce et salue tous ses amis qui sont venus de loin pour la voir dans son costume de Japonaise. Elle envoie des baisers en guise d'au-revoir.

Ainsi se termine le cortège de la fête des fleurs. "L'Escargot paresseux" s'arrête. Les joyeux cyclistes descendent de leurs bicyclettes. Les majorettes se dispersent. Martine descend de son char.

Un petit garçon qui jouait du tambour s'est endormi dans les bras de sa maman.

Il voudrait bien rester éveillé pour ne rien perdre de cette belle journée qui s'achève. Mais le petit garçon, malgré lui, a fermé les yeux pour de bon. Il entend la musique comme dans un rêve. Et pourtant, ce sont de vrais musiciens qui jouent là-bas dans le kiosque.

Car la fête n'est pas tout à fait finie...

– Venez par ici, mes enfants, dit grand-père Nicolas, nous allons faire un petit tour en ville.

C'est ainsi que ce soir-là, dans la rue des Capucines, on vit passer en un curieux équipage un grand-père, une petite Japonaise, un Patapouf et trois cyclistes de Saint-Guidon-la-Jolie... tandis qu'au loin claquaient les derniers pétards de la fête.

martine

au cirque

GILBERT DELAHAYE - MARCEL MARLIER

    C'est la nuit. Dehors, les étoiles brillent, les fleurs se reposent, les arbres dorment. Dans la chambre de Martine, les jouets sont rangés. La poupée s'ennuie. L'ours en peluche et le lapin bâillent. Dans son lit, Martine fait un rêve extraordinaire. Elle rêve qu'elle travaille dans un cirque avec des clowns, des chevaux, des éléphants et des lions.

Dans le cirque de Martine, on a invité les élèves de toutes les écoles. Il y en a jusque tout en haut, près des musiciens.

Lorsque tout le monde est assis, on allume les lumières : la blanche, la rouge, la bleue, et Martine s'avance au milieu de la piste. Elle n'a pas peur du tout. Elle salue à droite, puis à gauche et dit :

— Mes chers amis, la séance va commencer.

Tout d'abord, voici les clowns Pif et Paf.

— Bonjour, Martine. Comment s'appelle ta poupée?

— Elle s'appelle Françoise. Elle marche toute seule. Elle rit et elle pleure.

— Eh bien! dit Pif, je vais lui raconter l'histoire de l'éléphant qui a perdu ses oreilles en se baignant dans la rivière.

Lorsque Pif raconte l'histoire de l'éléphant qui a perdu ses oreilles, les musiciens du cirque cessent de souffler dans leur trompette. Les singes dansent de plaisir dans la ménagerie. L'ours rit tout seul et balance la tête sans rien dire. A-t-on jamais vu clown aussi drôle ?

Même derrière le rideau des coulisses, le dompteur, le nain et le cow-boy écoutent l'histoire de Pif. Elle est tellement amusante !

Pif a terminé son histoire. Vite Martine va changer de costume dans les coulisses. Là il y a des robes, des chapeaux, des rubans et Martine s'habille comme il lui plaît.

Dans les coulisses, Martine retrouve son chien Patapouf. Patapouf aime bien le sucre, mais il préfère marcher sur deux pattes et rouler à bicyclette.

La bicyclette de Martine est toute neuve. Ses rayons brillent comme un soleil. Martine en est très fière. Son papa, qui est équilibriste, la lui a achetée pour son anniversaire.

Quand Martine roule autour de la piste avec son chien Patapouf, les enfants applaudissent si fort que Patapouf n'ose même plus tourner la tête.

Après la promenade à vélo, la partie de patins à roulettes.

Patapouf voudrait bien rouler sur le plancher de la piste avec les patins de Martine. Mais il paraît qu'on n'a jamais vu cela, même au cirque.

— Cela ne fait rien, se dit-il. Cette nuit, quand Martine dormira, je vais essayer. Et, foi de Patapouf, je parie que je réussirai.

Martine sait aussi faire danser les chevaux du cirque :
le blanc et le noir. Le blanc s'appelle Pâquerette, le
noir, Balthazar.

Les chevaux de Martine marchent au son du tambour
comme les soldats. Ils saluent de la tête et Martine les
appelle par leur nom, tant ils sont polis et bien éduqués.

A l'entracte, pendant qu'on prépare la piste, Martine
vend des friandises. Elle porte une casquette et un
uniforme avec des galons.

Un petit garçon lui demande :

— Martine, donne-moi du chocolat aux noisettes,
du nougat et un sucre d'orge.

— Voilà un petit garçon bien gourmand !... pense
Martine en lui donnant un bâton de nougat.

Quand tous les enfants ont goûté les bonbons de Martine et qu'ils ont été à la ménagerie admirer les tigres, les lions et les ours, on tend un fil de fer au-dessus de la piste.

Soudain un roulement de tambour. Puis un grand silence. Martine se met à danser sur le fil. Avec ses chaussons blancs et son ombrelle, elle est aussi légère qu'un papillon. On dirait qu'elle va s'envoler. C'est une vraie danseuse !

Après quoi, Martine appelle Trompette l'éléphant.

— Voilà, voilà, qu'y a-t-il? répond l'animal sans se presser.

— Comme tu es en retard! Nous avons juste le temps de faire une promenade ensemble.

— C'est que, voyez-vous, Mademoiselle, j'ai emmené mon bébé avec moi. Et, vous savez, il ne tient pas fort sur ses jambes.

Le cirque de Martine a fait deux fois le tour du monde. On l'appelle le « Cirque Merveilleux ». Les grandes personnes s'imaginent que c'est un cirque tout à fait comme les autres. Cependant on raconte qu'une fée le suit dans tous ses voyages.

Et devinez qui a donné à Martine la baguette magique avec le chapeau, le lapin, les pigeons et les foulards ?

C'est la fée du « Cirque Merveilleux ». Mais il ne faut pas le répéter à n'importe qui.

Voici que les clowns Pif et Paf ont changé de costume. Personne ne les reconnaît. Pif porte un habit couvert de diamants. Paf a mis son pantalon rayé, sa nouvelle cravate et ses chaussures de trois kilomètres.

— Nous allons jouer de la musique, dit Pif.

— Pour Martine et tous nos amis, ajoute Paf.

— Bravo! bravo! crient les garçons sur les bancs.

Martine aime beaucoup les lions. Sans hésiter elle entre dans leur cage. Comme ils sont paresseux! D'un coup de fouet elle les éveille.

— Debout, Cactus. Allons, mettons-nous au travail... Caprice, à votre place. Ne voyez-vous pas qu'on vous regarde? Mon petit doigt me dit que vous vous êtes encore disputés aujourd'hui. Comme punition, vous allez vous asseoir sur ce tabouret.

Maintenant la séance est terminée.

— On s'est bien amusés? demande Martine.

— Oui, oui, fait-on de tous côtés.

— Nous allons démonter le cirque. Nous partons dans une autre ville.

— Puisque tu nous quittes, voici un bouquet de fleurs, dit un garçon. Et un ruban pour Patapouf.

Après la séance, Martine rejoint son ami Martin
Quand Martine demande à Martin :

— Quoi de neuf ce soir ?

— Hélas ! répond l'ours en dépliant son journal,
je ne sais pas lire.

— Mon pauvre Martin, il faudra que je t'apprenne
l'alphabet !

Donc Martine, Martin et Patapouf vont continuer leur voyage autour du monde avec le cirque. On se bouscule pour les voir partir. Tous les amis de Martine applaudissent. Cela fait tant de bruit que Martine se réveille. Elle se retrouve dans son lit, entourée de sa poupée, de son ours et de son lapin. C'est le matin. Adieu le Cirque Merveilleux! Vite, il faut se débarbouiller pour aller à l'école...

martine

fête maman

GILBERT DELAHAYE - MARCEL MARLIER

Bientôt ce sera la fête des mères.

A cette occasion, Martine et Jean aimeraient faire une surprise à maman.

Une surprise pour de vrai.

— Je crois qu'une jolie montre lui ferait plaisir.

— Tu n'y penses pas! Avec quoi la paierons-nous?

— Voyons ce qu'il y a dans la tirelire?... Elle n'est pas bien lourde!

— Nous n'aurons jamais assez d'argent. Ça coûte cher, une montre.
Mieux vaudrait offrir un disque. Voilà le cadeau idéal ! Allons chez le disquaire.
— Voulez-vous écouter ceci ? demande la vendeuse. C'est très beau. Ce sont des chansons.
— D'accord, répond Martine.
— Moi, dit Jean, je préfère le jazz et le rock !
La musique, c'est compliqué. On ne sait pas ce que maman aime au juste. Cherchons autre chose...

Une bague ou un collier feraient sûrement plaisir à maman, songe Martine...

Ce serait chic!... Elle pourrait les porter les jours de fête. Un parapluie serait bien utile, non?

Mais voilà, on n'est pas assez riche. Alors?

— Ce qui compte, a dit papa, c'est l'intention. Donnez-vous donc un peu de peine. Je suis certain que vous trouverez chez grand-mère tout ce qu'il faut pour fabriquer vous-mêmes un cadeau.

Papa avait raison.

Et voilà tout le monde parti chez grand-mère!

— Regarde ce que j'ai découvert dans ce tiroir, dit Françoise, la cousine de Martine : un canevas, des pelotes de laine de toutes les couleurs...

— Pour quoi faire? demande Martine.

— Je commence une tapisserie... Ce sera long, mais j'y arriverai pour la fête des mères... Et toi, Martine, que vas-tu offrir à ta maman?

— J'ai une idée... Si on dessinait un batik?

— Un batik, qu'est-ce que c'est? demande Jean.

— C'est une sorte de tissu décoré... Pour cela, il faut un carré de toile, de la cire, de la teinture.

— De la cire?... on n'en a pas!

— Mais si, voilà des bougies. Nous les ferons fondre.

— Et la toile?... Et la couleur?

Vous savez, dans le grenier de grand-père, on finit toujours par trouver ce dont on a besoin... à condition, bien entendu, que grand-mère soit d'accord!

Mais oui, grand-mère veut bien :

— Mes enfants, voilà un joli canevas que j'ai conservé du temps où je faisais de la dentelle. Prenez-le. Vous n'aurez qu'à suivre le dessin...

Elle a même donné un petit entonnoir pour y verser la cire fondue. C'est pratique, n'est-ce pas?

Et maintenant, au travail... Tendons la toile avec des punaises, sur un cadre de bois. Il ne faut pas qu'elle bouge.

— Que vont-ils faire? demande Patapouf.

— Tu le vois bien! répond Moustache. Ils dessinent avec de la cire.

— Qu'est-ce qu'ils dessinent?

— Je ne sais pas : un dragon? des poissons exotiques?

— Et après?

— Après, ils vont tremper la toile dans la teinture. C'est pour colorier le dessin aux endroits où il n'y a pas de cire.

— Pourquoi recommencent-ils plusieurs fois?

— Il faut tremper une fois par couleur.

La teinture, ça tache, attention! Ça se vend chez le droguiste, mais grand-père a retrouvé quelques échantillons de couleurs dans une boîte en fer.

— Tu crois que le dessin sera réussi?

— Nous allons voir...

Il ne reste plus qu'à dissoudre dans l'eau chaude la cire appliquée sur la toile et le travail sera terminé. On retire le batik du chaudron avec précaution...

Le résultat? Le voilà.

— Ce dessin ne me plaît pas, souffle Moustache. On dirait un oiseau en fleurs.

— Tant pis pour toi! Moi, je trouve ça très bien.

Grand-père a suivi l'opération avec attention et donné quelques conseils.

Avec les enfants, il est tout heureux de la réussite :

— Bravo! Bravo! dit-il. Mais il faudra retoucher un peu votre dessin, là... et pensez donc à repasser la toile. Quel beau cadeau ce sera pour la fête des mères!

Il réfléchit :

— Prenez aussi ce vieux coucou. Il était dans le grenier... Tu sais, Martine, nous l'avions dans notre salle à manger quand ta maman était encore une petite fille. Tu le lui donneras.

— Un coucou, à quoi ça sert? demande Patapouf.

— À sonner les heures. La petite maison qui abrite le coucou est une pendule.

— Est-ce qu'on peut l'écouter, grand-père?

— Nous allons l'essayer...

Il faut mettre une goutte d'huile dans les engrenages et resserrer cette vis.

— Coucou... coucou... coucou...

— Ça marche, les enfants, ça marche!

— Comment allez-vous emporter le coucou à la maison sans que maman s'en aperçoive? demande grand-mère. Si vous la mettez au courant, cela ne sera plus une surprise.

— Pardi, cachez-le dans ce chaudron, dit grand-père.

— Un chaudron!... quelle idée!

— Mais si, mais si. Vous verrez, ça ira très bien.

— Et puis, il est tout sale, ce chaudron!

— Eh bien, nettoyez-le! C'est du cuivre. Ça brille. Justement la maman de Martine est partie en ville.

— Profitez-en pour rentrer chez vous, dit grand-père. On se met en route...

— Et merci pour le coucou!

En chemin, on rencontre le fils du fermier:

— Là-dedans, qu'est-ce que c'est?

— On ne peut pas le dire... C'est une surprise pour quelqu'un, répond Patapouf.

Martine et Jean arrivent à la maison... Mieux vaut cacher le coucou dans la remise et fermer la porte à clef. Le secret sera bien gardé...

Qui pourrait entrer là-dedans? Personne, bien sûr. Mais avec le chat Moustache, on doit s'attendre au pire.

Il a tout vu (c'est un petit curieux). La nuit venue, il se glisse dans la remise par la lucarne.

— Ce coucou ne m'échappera pas, se dit Moustache.

Et il se met à l'affût.

— Coucou, es-tu là?... Réponds-moi!

Le coucou fait la sourde oreille. La nuit est longue. Le chat, s'il le faut, attendra jusqu'à demain.

...Enfin, le matin arrive.

— Coucou!... Coucou!... Le jour se lève, chante soudain l'oiseau à la pendule, sortant de son trou. Moustache veut se jeter sur lui.

Décidément ce coucou-là n'est pas un coucou comme les autres!

Qu'est-ce que c'est que ça? Un oiseau mécanique? Une boîte à surprise?...

Couic, un ressort se referme et le chat se fait pincer la patte.

— Au secours!... Au secours!...

Il s'enfuit à toute allure.

— Eh bien, Moustache! Que se passe-t-il? demande maman.

— C'est à cause du coucou dans la remise.

— Un coucou dans la remise?... Qu'est-ce que c'est encore que cette histoire?

Maman essaie d'ouvrir la porte :

— Tiens, qui a fermé cette porte à clef? C'est nouveau ça... Martine!... Jean!...

On accourt... Pourvu que maman...

— On a enfermé les outils du jardin et on a perdu la clef, dit Martine en rougissant.

(Est-ce bien la vérité? Non. Mais ce n'est pas tout à fait un mensonge puisqu'il s'agit de préparer une surprise à maman.)

Bien entendu, maman n'est pas dupe...

Elle a deviné qu'il se trame quelque chose.
Papa essaie de détourner son attention. Une longue
semaine passe...
Enfin, voici le jour attendu avec impatience.
C'est le moment d'acheter deux bouquets sur la place du
marché (un pour maman... un pour grand-mère).

La famille est réunie pour fêter maman :

— Ce batik, nous l'avons fait exprès pour toi, explique Martine... tout émue.

— Un batik? Quelle jolie surprise!

— Tu sais, grand-mère nous a vraiment aidés. Grand-père aussi... Ça n'a pas été facile.
Et voici le coucou de bon-papa.

— Le coucou de bon-papa?

— Oui, dans ce joli paquet... Tu verras...

— Chère Maman, je t'embrasse très fort, dit Jean. Nous te souhaitons beaucoup de bonheur. Tu es une chic maman. Nous t'offrons ces fleurs que tu aimes tant.

— Merci, mes enfants. Cela me plaît beaucoup, beaucoup, puisque vous y avez mis tout votre cœur... Et ce coucou, c'est merveilleux ! Il sonnait l'heure quand j'habitais chez grand-père. Quel plaisir vous me faites !

— Coucou, coucou, c'est midi.

— Il chante encore !... Est-ce possible ?

Tout le monde est content. Les fleurs s'épanouissent. Le serin siffle. A la maison, c'est la fête.

martine

fait du théâtre

GILBERT DELAHAYE - MARCEL MARLIER

Dehors il fait froid. Le vent siffle dans les branches. Les feuilles mortes s'envolent. Les parapluies se retournent.

Sur la route, un petit chien s'ennuie et les gens se dépêchent de rentrer à la maison.

Mais où sont Martine et ses petits camarades ?

Martine, Jean et ses amis sont allés se mettre à l'abri dans le grenier.

C'est un endroit merveilleux pour jouer quand il fait mauvais temps.

Et puis on y trouve une poupée endormie dans sa voiture, un cheval de bois coiffé d'un chapeau de paille, un vieux piano, un fauteuil, une auto à pédales et toutes sortes de choses amusantes.

— Venez voir, les amis, j'ai découvert ce coffre dans un coin.

— Comme il est lourd ! Tu ne sais pas l'ouvrir ?

— Je n'ai pas la clef, dit Martine. Regardons par le trou de la serrure.

Que peut-il bien y avoir dans ce coffre ? Un trésor, des jouets, des livres d'images ?

— Voilà, j'ai trouvé la clef.

— Ouvrons le coffre, dit Jean.

Clic, clac, le couvercle se soulève… Oh ! les beaux rubans, les chapeaux de paille, les jolis costumes !

Voici des robes, des parures, des foulards multicolores.

— J'ai une idée : Voulez-vous jouer avec moi ? dit Martine. Nous allons faire du théâtre.

Et chacun de se mettre à l'ouvrage.

— Martine, essaie donc cette robe!... Comme tu es jolie! On dirait une princesse avec son éventail et ses boucles d'oreilles!

Bernard prépare les décors. Jean apporte le cheval de bois, le fauteuil...

Enfin tout est prêt. Les décors sont en place. Le grenier ressemble à un vrai théâtre.

Toc... toc... toc..., la séance va commencer.

La scène se passe dans un vieux château.

Martine, qui joue le rôle de la princesse, fait semblant de dormir sur son lit. Patapouf est allongé à ses pieds. La cuisinière, le marmiton et les gardes se reposent. Pas un bruit. On entendrait une souris grignoter dans l'armoire.

Quand les amis de Martine vont-ils se réveiller ?

On dirait qu'ils attendent quelqu'un depuis des jours et des jours… Et savez-vous bien ce qu'ils attendent depuis si longtemps ?

Ils attendent le prince Joyeux qui revient de la guerre sur son cheval de bataille. Il porte à son côté Lame-de-bois, sa fidèle épée avec laquelle il a vaincu trois généraux.

Depuis deux jours, Longues-Jambes, son cheval, galope à travers la campagne sans manger, sans boire et sans jamais s'arrêter.

Enfin le prince Joyeux arrive au château. Il ouvre doucement la porte de la salle et demande :

— Où est la princesse ?

Martine se relève :

— C'est moi, dit-elle en se frottant les yeux.

Et Patapouf aussitôt de sauter de joie.

La cuisinière, le marmiton, les gardes, tout le monde se réveille.

Car le prince, à l'occasion de son retour, a décidé de couronner la princesse.

Il monte sur l'estrade accompagné de son page et de son écuyer. On l'applaudit très fort :

— Vive le prince, vive le prince !

Dans ses bagages il a rapporté une couronne ornée de diamants. Il la pose sur la tête de Martine.

— Vive la princesse, vive la princesse !

Après quoi il ordonne de préparer le bal.

On attache guirlandes et drapeaux. Les lanternes vénitiennes se balancent partout. Celle-ci ressemble à un accordéon. Celle-là est toute ronde comme un ballon de football.

— Veux-tu tenir l'échelle? demande Bernard.

— Je la tiens bien. Tu ne dois pas avoir peur.

Pendant ce temps, la princesse est allée chez la modiste avec sa demoiselle de compagnie.

— Voilà de quoi se parer pour le bal.

— Essayons les chapeaux.

— Comme ils sont drôles, tous ces chapeaux garnis de fleurs et de plumes d'autruche. Je préfère celui-là, en paille, avec des cerises.

— Moi, je crois que celui-ci me va très bien, dit Marie-Claire.

— Pour qui la jolie moustache?

— Pour moi, dit Jean.

— Alors, je prendrai la perruque.

— Dépêchez-vous, dit Martine. Il ne faut pas faire attendre le prince... Et Patapouf, qu'allons-nous mettre à Patapouf?... Ah! j'ai trouvé. Nous lui mettrons cette paire de lunettes et ce gros nœud de velours. Regarde-moi bien, Patapouf... Voilà, tu es un véritable personnage. C'est très important pour un petit chien comme toi.

Et maintenant le bal commence. Tout le monde se donne la main pour faire la ronde.

Philippe souffle dans son flageolet :

Les mirlitons, ton ton, tontaine,

les mirlitons, ton ton,

font danser le roi et la reine,

font danser tous en rond.

Les confetti pleuvent. Martine en a plein les cheveux. Les serpentins volent à droite, à gauche. On se croirait au carnaval.

A force de tourner autour du fauteuil, Patapouf s'est entortillé dans les serpentins. En voici un qui se noue à son cou. Un autre le retient par la patte.

Comment faire pour s'en débarrasser ?

Patapouf se débat. Il tire de toutes ses forces. Heureusement Françoise arrive à son secours.

— En l'honneur de la princesse, je vais jouer un petit air de musique, dit Bernard.

— Bravo, c'est une chic idée !

Bernard dépose son chapeau sur le piano. Puis il s'assied avec précaution pour ne pas chiffonner son costume de gala.

« Do, mi, fa, sol, do. » La jolie musique ! Tout le monde écoute avec admiration.

Après la fête, il faut retourner au palais.

— Je vais atteler Longues-Jambes, dit l'écuyer. Que sa majesté veuille bien prendre place dans la calèche.

Martine, Bernard, Françoise et Philippe s'installent dans la voiture.

— Attention, nous allons partir!

Les mouchoirs s'agitent. Le fouet claque, la calèche démarre... et le rideau se ferme.

La pièce est terminée. Adieu prince, adieu princesse!
Chacun se déshabille. On enlève les décors.

— Bravo, Martine, tu as bien joué! Tu étais une
vraie princesse! dit Marie-Claire... Est-ce que je
pourrai garder mon chapeau?

— Bien sûr, répond Martine. Mais il ne faut pas
l'abîmer. Tu en auras besoin la prochaine fois que
nous viendrons jouer dans le grenier.

Imprimé en Italie
Dépôt légal : octobre 1995; D. 1995/0053/322.

Déposé au Ministère de la Justice, Paris
(Loi n° 49.956 du 16 juillet 1949 sur les publications destinée à la jeunesse).